HECTOR SE REBELLE

© MMIV Futurikon - France 3
Créée par Arthur Qwak, Valérie Hadida,
Guillaume Ivernel.
Réalisée par Norman J. LeBlanc.
Adapté du scénario de : *Une vie de dragon*.
Auteurs de l'épisode : Thomas Barichella,
en collaboration avec Laurent Turner.
www.chasseursdedragons.com

© Hachette Livre, 2008, pour la présente édition.
Novélisation : Philippe Randol
Illustration de couverture : Valérie Hadida
(mise en couleurs : Katia Wladimiroff)
Conception graphique du roman : François Hacker.

Hachette Livre, 43, quai de Grenelle, 75015 Paris.

LE RAMADUR ADULTE

Avec ses ailes et ses pattes griffues, cette créature immense, très féroce, crache du feu comme un lance-flammes – avec son arrière-train.

Une bête pas facile à chasser. Énorme, coriace, très effrayant, il crache des flammes et se déplace en volant. Signe particulier : il raffole des épis de maïs.

LE NÉLICON JOUFFLU

LE MARTEAU-PILON

(aplatissus marteaupilonus horribilis)
Ce monstre hideux à la mâchoire gigantesque dévore tout ce qui passe à sa portée : récoltes, réserves, légumes au sirop, brouettes… Une vraie calamité !

LES DRAGONS

LES BOURDONZES

Des morphales volants
aux dents très acérées,
très carnivores, qui se
déplacent en essaim. Là où
ils passent, généralement
ça trépasse.

L'HORREUR ROSE

Ça vous grille un mouton à
plus de trente pas. C'est très
méchant quand ça défend son
territoire et encore plus quand
il y a des petits dans le coin.

LE TANIMBAR

Un monstre à la combustion
fulgurante, qui lance des boules de feu
grosses comme des pastèques ; quand il
est fou furieux, ça donne un joli feu
d'artifice !

Âgée de dix ans,
Zaza est la plus
jeune fille de
Jeanneline.
C'est l'amie de
Lian-Chu, qu'elle
admire. Son rêve le
plus cher : partir
chasser le dragon
avec Gwizdo et
Lian-Chu.

ZAZA

LE SAINT-GEORGES

Une drôle de machine qui
sert aux chasseurs pour se
déplacer d'île en île. C'est
Hector qui pédale comme
un forcené pour faire
avancer l'engin, pendant que
Gwizdo est au gouvernail.
D'habitude, Lian-Chu se
tient à l'arrière, il tricote…

Patronne de l'auberge du
Dragon-qui-ronfle,
Jeanneline prépare
une cuisine raffinée
à base de viande
de dragons qu'elle
se procure auprès
de Gwizdo et de
Lian-Chu, en
échange du gîte et
du couvert.

JEANNELINE

Gwizdo est le manager de cette PME (Principal Moyen d'Escroquerie). Pour négocier un contrat, il est redoutable : très pointilleux sur les clauses et intraitable sur les prix. C'est le cerveau du tandem !

GWIZDO

C'est lui qui zigouille les dragons à tour de bras. Car Lian-Chu est une montagne, un géant doté d'une puissance incroyable. Mais, sous ses allures de brute, se cache en fait un cœur tendre…

LIAN-CHU

Hector est un petit dragon qui fait figure d'animal de compagnie. Cependant, ses capacités dépassent largement celles du chien de base : car il piste aussi bien les truffes que les dragons les plus malins ! C'est une brave bête connaissant vaguement les rudiments du langage.

HECTOR

AU TEMPS DES CHASSEURS DE DRAGONS.

... le monde est constitué par des îles
de toutes tailles, habitées par des paysans
bourrus et des seigneurs cupides. Ils sont
essentiellement préoccupés par deux
choses : manger et ne pas être mangé !
Car ce monde est ravagé par un
terrible fléau : d'horribles créatures à
l'appétit monstrueux qu'on appelle les
DRAGONS !
Du coup, le métier de chasseur de dragons
est devenu indispensable à la survie
du genre humain... Gwizdo et Lian-Chu
sont deux inséparables chasseurs qui font
équipe et négocient leurs services.

1

RALAKASKET !

Hector, le petit dragon domestique, est très en colère. Il a le sentiment d'être exploité par Gwizdo. Dernier exemple de cet abus de pouvoir manifeste : lui faire nettoyer tout le matériel de chasse en prévision de la prochaine expédition. Un boulot de chien. Et encore… Hector se retrouve dans la salle où sont entreposées toutes les armes, à pédaler comme un fou pour faire tourner la grosse pierre à aiguiser. Pendant ce temps-là, Gwizdo et Lian-Chu dînent tranquillement dans la salle à manger, avec Jeanneline, la patronne de l'auberge du Dragon-qui-ronfle, et sa fille Zaza. Vraiment injuste ! Dans son atelier, la voix de Gwizdo lui parvient.

— À la plus belle association de chasseurs de dragons qui existe, j'ai nommé Gwizdo et Lian-Chu ! Et à la magnifique tourte de Jeanneline !

Hector a des crampes d'esto-

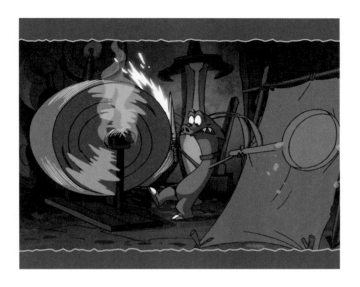

mac rien qu'à penser à la bonne
tourte au dragon. Il essaie de se
concentrer sur sa besogne. Il
affûte une épée qu'il tient d'une
main, tandis que, de l'autre, il
nettoie une hache contre une
peau de bête accrochée au mur.
Quand il a fini, il jette le tout
devant lui. Rapidement, une pile

d'armes s'entasse. Il ne fait alors même plus attention à ce qu'il fait : il frotte une poêle, aiguise un râteau… Puis, emporté par son élan, il pédale si vite que la pierre à aiguiser se décroche de son socle. Elle atterrit sur le tas d'armes, qui sont projetées en l'air par le choc, et menacent de retomber pile sur Hector !

Une hache manque de lui trancher la tête. Ouf ! Il a évité le pire. Le temps de savourer son bonheur, les gargouillements d'estomac le reprennent. Ça suffit ! Hector s'en va vers la salle à manger, emportant sa hache avec lui.

Les autres sont toujours à table et terminent leur repas. Gwizdo engloutit la dernière part de tourte et continue de jacasser :

— Notre force, c'est le travail d'équipe, à tous les deux.

Zaza intervient pour mettre un bémol :

— Et Hector ? Il ne compte pas, Hector ?

— Hector ?! pouffe Gwizdo. Ha ha ha !!! Zaza, faut pas me faire

rire comme ça quand j'ai la bouche pleine !

Il en a les larmes aux yeux. Lian-Chu, gêné, se racle la gorge pour lui indiquer la présence d'Hector derrière lui. Furieux, le petit dragon grogne et, de sa patte gauche, lance la hache qui va se planter dans la table, juste devant Gwizdo ! Grand silence... Tout le monde est stupéfait. Puis Jeanneline hurle :

— Hector, tu te crois où, chez les sauvages ?! Une table toute neuve !

Gwizdo inspecte la lame plantée dans le bois, en passant délicatement son doigt dessus.

— Mouais... C'est pas pour critiquer, mais ta hache, elle est pas super tranchante…

D'une main, Lian-Chu retire l'arme et la lance à Hector, qui la réceptionne tant bien que mal.

— Ah, et puis tiens, tant que tu y es… ajoute Gwizdo… Frotte-moi tout ça au savon !

— Hector reçoit sur la tête une tonne de linge sale !

— C'est vrai, renchérit Gwizdo en se déshabillant, c'est important de laver ses liquettes au moins une fois par an... Je tiens à bien présenter devant le client.

Hector a du mal à s'en sortir avec tous ces vêtements. Il montre un instant les crocs puis, résigné, ramasse toutes les affaires éparpillées sur le sol et s'éloigne en grognant.

— Mais enfin, Gwizdo ! s'exclame Jeanneline, interloquée. Comment dire... Tu es tout... nu...

— Et alors ? rétorque Gwizdo. J'ai une ligne impeccable, moi !

— Attends un peu, proteste Jeanneline, vexée. C'est pour moi que tu dis ça ?!

— Non, non, s'excuse hypocritement Gwizdo. Pas du tout…

— Tromalpoli ! commente Hector en claquant la porte de l'auberge derrière lui.

Plus tard, à la nuit tombée, tout le monde dort profondément à l'auberge. Enfin presque… Soudain, la porte d'entrée s'entrouvre, et une silhouette se glisse à l'extérieur. C'est Hector, avec un petit baluchon sur l'épaule. Dehors, le temps n'est pas très engageant. Hector a froid, il se retourne et jette un dernier regard vers l'auberge, semblant hésiter. Puis, d'un air décidé, il arrache le collier qu'il porte autour du cou...

2

HECTOR S'EST FAIT LA MALLE

De bon matin, Gwizdo est déjà en pleins préparatifs près du Saint-Georges, l'engin volant qui permet aux chasseurs de se déplacer d'île en île, garé sur le terre-plein de l'auberge. Il a le nez plongé dans une carte îlotière.

— Après le rocher du Sangon,

c'est quarante blocs à l'ouest, lance-t-il à son coéquipier. Tu paries qu'on fait l'aller-retour dans la journée ?

Lian-Chu a l'air inquiet.

— Heu… Dis donc, Gwizdo, tu ne vois pas qu'il manque quelque chose ?

Gwizdo réfléchit deux secondes et semble soudain comprendre. À toute vitesse, il retourne à l'auberge. Quelques minutes plus tard, il revient, haletant, une plume à la main, et il saute dans l'appareil pour s'installer aux commandes.

— Saperlouille, j'allais partir chasser le dragon sans ma plume à écrire les contrats. Ah, vraiment, n'importe quoi ! Bon allez, Hector, on met les gaz !

Aucune réaction d'Hector, et pour cause... Lian-Chu fait observer d'une voix lasse :

— Ben justement, Gwizdo... Il n'est pas là Hector...

Gwizdo tourne la tête dans tous les sens, mais il doit se rendre à l'évidence : Hector manque à l'appel.

— Ben, il est passé où, l'animal ? On a dit qu'on partait à sept heures tapantes. Et la ponctualité, hein, c'est pour les chiens ?!

Il se dirige à nouveau vers l'auberge et crie en direction de l'étage :

— Hector, qu'est-ce que tu fabriques, bon sang ? Tu roupilles, ou quoi ?

Près du Saint-Georges, Lian-Chu repère des traces de pas dans la prairie. De son côté, Gwizdo trébuche sur quelque chose, il s'agit du collier d'Hector. Il le ramasse.

— Et en plus, il laisse traîner ses affaires partout ! commente-t-il furieux.

Lian-Chu, qui a repéré quelque chose, se dirige vers une échelle posée contre le mur de l'auberge et grimpe sur le toit. Gwizdo l'observe, intrigué.

— Qu'est-ce que tu fais ? T'as trouvé sa planque ?

— Hector nous a laissé un message, répond Lian-Chu. Viens voir ce que c'est.

Gwizdo n'a pas très envie de le suivre. En plus de toutes ses qualités héroïques, il a un peu le vertige…

— C'est un tout petit peu trop haut pour moi… Et si tu me le lisais, hein ?

— Tu sais bien que je ne sais pas lire, lui réplique Lian-Chu.

Gwizdo fait la grimace. Ah, oui, effectivement… Prenant son courage à deux mains, il s'avance et monte lentement sur l'échelle. Arrivé près de Lian-Chu, il s'agrippe à son bras de toutes ses forces et ose à peine regarder en bas.

— Gniarpf. Non… Gnarf. C'est ça. Ça veut dire quoi ?

— « Je retourne d'où je viens »,
répond Lian-Chu. Hector est
parti, Gwizdo, il est retourné à la
vie sauvage comme tous les vrais
dragons…

3

COUSIN DRAGON

—Ah, le sale petit ingrat ! Nous lâcher un jour de chasse ! Le contrat est signé ! Non mais, qu'est-ce qu'il croit, qu'on croule sous les propositions ? Il va voir quand il va revenir…

Assis sur un tronc d'arbre, Gwizdo ne décolère pas. Il ne

digère toujours pas la fuite du petit dragon domestique, d'autant qu'il lui a fallu pédaler dans le Saint-Georges durant tout le voyage pour arriver dans l'île où ils se trouvent – un boulot normalement réservé à Hector. Ça se fait pas ! Et en plus, l'atterrissage s'est mal passé. L'engin s'est enlisé dans une clairière marécageuse. Lian-Chu prend une corde, l'attache à l'appareil et la fait coulisser sur un tronc d'arbre. Gwizdo fulmine toujours.

— Si ce lâcheur avait vérifié l'état du Saint-Georges avant de partir, on n'aurait pas décollé avec une hélice encrassée. Ah, il

perd rien pour attendre, ce sera
retenu sur sa paye !

— Tu l'as jamais payé, Gwizdo,
fait remarquer Lian-Chu. Et de
toute façon, il ne reviendra pas…

Gwizdo sent que son ami est
attristé par le brusque départ
d'Hector. Il se lève et pose sa
main sur son épaule.

— O.K., Lian-Chu, moi aussi je l'aimais bien, le petit Hector. C'était un bon larbin, mais les sentiments, ça remplit pas les assiettes, alors va falloir se serrer les coudes. Et il ajoute en changeant de ton : Bon, maintenant, fais-moi le plaisir de nous sortir de là.

Lian-Chu tire sur la corde de toutes ses forces. L'engin commence à s'extraire de la boue. Gwizdo sourit, satisfait, et part en direction d'un petit village qu'il a aperçu lors de l'atterrissage forcé.

— Où tu vas ? demande Lian-Chu.

— Je vois bien que je te déconcentre, mon grand, répond

Gwizdo, je vais chercher un truc à grignoter…

Pendant ce temps, par un de ces hasards qui font les grandes rencontres, Hector déambule dans la forêt, à l'autre extrémité de la même île où ont atterri les deux chasseurs. Il avance le dos courbé, un peu perdu devant sa nouvelle vie de dragon errant… Soudain, il dresse les oreilles : il a entendu un petit bruit. Il se cache derrière un buisson et aperçoit un paysan en train de manger son casse-croûte, adossé à un tronc d'arbre. Hector se frotte les pattes et fait du bruit en agitant les feuillages. Intrigué, le paysan se lève et va voir ce qui se passe.

— Y a quelqu'un ? demande-t-il.

Hector profite de la diversion pour se jeter sur le panier à provisions du pique-niqueur. Il en ressort bientôt la gueule couverte de nourriture. Cependant, le paysan est déjà de retour et se tient derrière lui, un gros gourdin à la main ! Surpris la patte dans le sac, le petit dragon prend un air méchant : il grogne et montre les crocs. Peine perdue, le paysan ne réagit pas et lève sa massue. En désespoir de cause, Hector lui sourit, penaud. Mais soudain, le paysan change d'expression, pousse un cri, et s'enfuit sans demander son reste !

Hector n'en revient pas de l'effet qu'il a pu produire et éclate de rire. C'est alors qu'en écho, un autre rire éclate, tout près, beaucoup plus impressionnant. Il se retourne, peu rassuré,

et découvre un énorme dragon
de plusieurs mètres d'envergure.
Ce grand dragon lui ressemble
beaucoup, ils sont de la même
espèce. Les deux dragons se dévisagent et reconnaissent leurs simi-
litudes : mêmes oreilles, même
museau, même queue... Ensuite,
le gros dragon reprend son che-

min comme si de rien n'était. Hector, tout content d'avoir brisé sa solitude et trouvé l'un des siens, le suit d'un pas joyeux.

Peu après, les deux bêtes marchent côte à côte. Hector est définitivement adopté. Elles arrivent bientôt en vue d'une plantation, en bordure de village. C'est l'occasion pour le petit nouveau de faire ses preuves. Rapidement, grâce aux mâchoires surpuissantes du cousin dragon, les cultures sont saccagées. Les paysans qui travaillaient là s'enfuient en courant. Hector fait de son mieux pour paraître terrifiant en les pourchassant avec de grandes grimaces. Dans le village, quelques

35

vaches paissent tranquillement
dans un enclos. Hector se réjouit
à l'avance du festin qui l'attend.

— Brouifmiam ! Bonn'bouf !

Mais au lieu de se tourner vers
les vaches, le gros dragon
s'approche d'un énorme tas de
fumier, qu'il attaque à grands
coups de mâchoire. Il semble se

délecter, et fait signe à Hector de l'accompagner dans son festin. Ce dernier a une expression de dégoût. Le gros dragon insiste en fronçant les sourcils, menaçant. Pas moyen de faire autrement. Hector s'avance vers le fumier en traînant les pieds, se pince le nez et ouvre grand la gueule…

Au moment où Hector commence sa dégustation, Gwizdo revient de sa petite virée. Il mord à pleines dents dans un sandwich. Lian-Chu a fini de sortir le Saint-Georges du marais. La sueur perle encore sur son visage.

— Ah, c'est des voleurs dans ce patelin, rouspète Gwizdo. Si t'avais vu le prix des sandwichs, je suis sûr que t'aurais pas voulu que je t'en prenne un, affirme-t-il d'une voix espiègle. Alors je t'ai ramené autre chose !

Un aboiement se fait entendre derrière lui. Lian-Chu se retourne, plein d'espoir.

— Hector ?

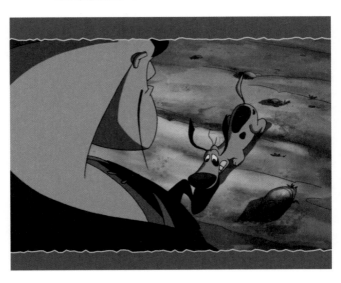

Eh non, il ne s'agit pas d'Hector, mais d'un petit chien – un vrai celui-là –, qui se précipite sur Lian-Chu pour lui mordre les chaussures.

— Il est mignon, hein ! assure Gwizdo. Au prix où ils vendent le casse-dalle, ils pouvaient bien nous filer un cabot !

— Mais ce n'est pas Hector, constate Lian-Chu, déçu.

— Bon, réplique Gwizdo, au moins t'as pas perdu le sens de l'observation. C'est déjà ça... Il s'appelle Toutou. Regarde, il t'a déjà adopté...

LE DRAGON BOULE

4

— Bon, t'as compris, explique Gwizdo au petit chien. Ton job, c'est la logistique. Pendant une chasse, Lian-Chu doit toujours rester armé. Moi aussi. Des questions ?

Le brave Toutou reste imperméable aux explications de

Gwizdo. Il n'a pas appris à maîtriser les rudiments du langage comme Hector, ni à deviner les intentions des humains. Et, il faut bien l'avouer, il n'a pas l'air spécialement intelligent. Haletant, la langue pendante, il fixe ses nouveaux maîtres avec un regard vide. Ça n'a pas l'air de gêner Gwizdo.

— En plus, il apprend vite ! Je crois qu'on est tombés sur une perle.

Les chasseurs ont maintenant quitté la forêt et s'avancent dans la campagne à la recherche de leur « contrat ». Ils n'ont pas à attendre bien longtemps. Au bout de deux ou trois kilomètres, au détour d'un sentier, ils tombent pile sur ce qu'ils cherchent : un Durratonum Michelus, dit encore « Dragon Boule ». Il est impressionnant ! Dans sa version dépliée, sur ses deux pattes, il fait deux fois la taille de Lian-Chu !

Sans perdre un instant, Lian-Chu se prépare à l'attaque. Il se met en position de combat et

effectue une sorte de ronde de plus en plus serrée avec le dragon, comme s'il voulait l'hypnotiser. C'est Lian-Chu qui mène la danse, poussant petit à petit la bête vers un précipice. Gwizdo s'est assis sur un rocher et regarde la scène d'un air las.

— Sans vouloir te presser, si tu pouvais l'achever, qu'on se fasse payer et qu'on rentre à l'auberge…

Le dragon se sent en danger. Ses narines commencent à fumer. Il pousse un énorme grognement et, soudain, se roule en boule pour foncer sur Lian-Chu. Un vrai bolide hérissé de pointes ! Le chasseur l'évite de justesse en faisant une roulade sur le côté. Terminant sa course, le Dragon Boule se déplie à nouveau pour se retrouver sur ses deux pattes. Il se retourne, prêt à un deuxième assaut. Gardant son regard fixé vers l'adversaire, Lian-Chu tend sa main en arrière et claque des doigts.

— Bouclier forgé et lance de pointe fuselée, commande-t-il à Toutou, à la façon d'un chirurgien dans la salle d'opération.

Mais Toutou ne comprend pas, évidemment. Au lieu d'obéir, il reste planté sur place, la langue pendue, la bave aux lèvres. Gwizdo commence à piger le problème.

— Hé, Toutou, c'est bien de vouloir ménager le suspense, mais là, faut passer à la suite. T'as entendu Lian-Chu ?

Non, il n'a rien entendu. Le dragon, lui, ne perd pas de temps et s'avance vers Lian-Chu qui, désarmé, n'a pas d'autre choix que de prendre ses jambes à son cou. Gwizdo le suit, affolé. Le dragon se remet en boule et roule après eux à toute vitesse. Malheureusement, les chasseurs se heurtent bientôt à une paroi rocheuse infranchissable. Ils sont bloqués. La boule dragonesque n'est plus très loin. Plus que quelques centi-

mètres… Gwizdo voit sa dernière
heure arriver.

— Adieu, Lian-Chu ! dit-il en
fermant les yeux, pour ne pas voir
sa triste fin…

5

LE CHEVALIER AU GRAND CŒUR

— Lian-Chu ? murmure Gwizdo d'une voix inquiète. On est au paradis ? Non, c'est pas possible, ça sent trop mauvais. Mais alors, je suis en enfer ! Lian-Chu, t'es là ? Lian-Chu ?

En fait, Gwizdo est écrasé contre le sol avec le monstre

inanimé qui le recouvre entièrement. À côté de la dépouille, Lian-Chu est sain et sauf. Il soulève la queue du dragon, et Gwizdo apparaît : il met un peu de temps à réaliser qu'il est encore vivant.

— En enfer, je suis en enfer ! Misère de misère… Mais non ! Je suis vivant ! Je me disais aussi, moi en enfer, ça tenait de l'erreur judiciaire !

Intrigué, Lian-Chu inspecte le dragon mort qui a une longue fléchette dans le dos.

— C'est cette flèche qui a tué la bête, explique-t-il à son coéquipier. Nous ne sommes pas tout seuls !

Il regarde autour de lui. Gwizdo retrouve son enthousiasme.

— Quoi, tu veux dire qu'on a un sauveur ? Ah, mais qu'il se montre, que je le prenne dans mes bras ! Que je l'embrasse !

Le sauveur en question ne tarde pas à signaler sa présence. Sur une hauteur de l'île, monté sur

un beau cheval et portant une armure étincelante, celui-ci salue Gwizdo :

— Oyez, oyez, sieur Gwizdo. Laissez-moi le temps de descendre et je vous prendrai volontiers dans mes bras. Pour la bise, faudra que je demande à ma mère…

Les deux chasseurs lèvent la tête. Gwizdo est sous le choc.

— Oh non, pitié ! N'importe qui mais pas lui…

Plus tard, le chevalier au grand cœur est porté en triomphe par les villageois du coin qui le célèbrent comme un véritable héros. Gwizdo est obligé d'assister au cortège et fait vraiment la tête.

— Je veux bien être maltraité, humilié, décapité même... Mais être sauvé par ce prince d'opérette qui pourrit le marché en travaillant pour des prunes, c'est trop pour moi...

De nouveau en selle sur sa monture, le chevalier au grand cœur

s'adresse sur un ton solennel à la foule qui l'ovationne :

— Ce n'est rien, chers amis, je n'ai fait que mon devoir. Car il n'existe pas de plus noble cause que de défendre les plus faibles pour la beauté du geste !

Bouillant comme une marmite, Gwizdo se tourne vers son ami.

— Lian-Chu, donne-moi une arme ! Je crois que je vais faire une bêtise !

Ce dernier pose une main sur son épaule pour le calmer.

— Viens, rentrons, on n'a plus rien à faire ici.

— Détrompe-toi, Lian-Chu, réplique Gwizdo. On a encore beaucoup à faire.

Il sort d'une de ses poches un long parchemin.

— Ils vont payer ! poursuit-il d'un air menaçant. Ce fric, ils nous le doivent.

— Ben, pas vraiment, rétorque Lian-Chu, puisque c'est pas nous qui l'avons tué.

Gwizdo déroule le contrat sous le nez de Lian-Chu.

— Est-ce que tu lis dans ce papier une seule clause spécifiant que c'était à nous de tuer la bestiole ?

— Gwizdo, tu sais bien que je sais pas lire.

— Oui, ben alors, fais-moi confiance !

Gwizdo se dirige vers le chef du village qui, rapidement agacé, ne veut plus entendre parler de cette affaire.

— Eh ! se défend pitoyablement Gwizdo, c'est pas ma faute si je vous ai pas laissé le lire avant de signer !

Soudain, Toutou s'élance sur le bout du contrat qui traîne au sol. Il mord juste là où se trouve la croix servant de signature. *Crac !* Il en arrache un morceau entre ses dents et s'enfuit à toute vitesse. Gwizdo ouvre de grands yeux affolés.

— Toutou ! crie-t-il. Reviens tout de suite ! Tu m'entends !

Mais Toutou ne l'entend pas de cette oreille, il veut jouer… Traversant tout le village, il s'engouffre dans la forêt qui le borde, Gwizdo à ses trousses. La course dure un bon moment quand, épuisé et en sueur, Gwizdo s'arrête.

Le petit chien finit sa course et regarde derrière lui. Mince, plus personne ne le poursuit, ce n'est plus marrant ! Il retourne en arrière et va jusqu'aux pieds de

Gwizdo, qui souffle comme un bœuf. Toutou lâche le bout de contrat et tire le bas du pantalon de Gwizdo. Celui-ci repère le morceau de parchemin par terre et le ramasse. Lian-Chu apparaît alors. Rayonnant de bonheur, Gwizdo se tourne vers lui en agitant le papier.

— Et voilà le travail ! On le recolle et à nous le fric. Allez, donne-moi le reste du contrat.

— Mais c'est pas moi qui l'ai, proteste Lian-Chu.

Gwizdo est pris d'un doute affreux. Il cherche frénétiquement dans ses poches en vidant toutes sortes de choses dont le collier d'Hector.

— C'est pas possible ! s'énerve Gwizdo, il peut pas être bien loin. On va refaire le chemin en sens inverse. Faut à tout prix qu'on le retrouve !

6

UN SEUL ÊTRE VOUS MANQUE...

Les deux chasseurs se sont per-
dus dans la forêt. Impossible de
retrouver leur chemin, ni de
remettre la main sur ce fichu
contrat. Toutou n'est d'aucune
aide, il ne pense qu'à jouer et à
courir dans tous les sens.

— Ce chien, dommage que je

ne l'aie pas payé, parce que j'aurais demandé à être rem- boursé, fait remarquer Gwizdo d'une voix lasse.

Lian-Chu, qui a ramassé le col- lier d'Hector, ne peut qu'acquies- cer aux propos de son ami.

— Je te l'avais dit. C'est com- plètement nul, un chien. Un vrai chien, je veux dire.

Gwizdo pousse un grand soupir.

— Ça va, ça va. On va le cher- cher, Hector.

Lian-Chu retrouve le sourire.

— Y a juste un petit problème, avoue-t-il. On sait pas où il est… Nous non plus d'ailleurs…

Les deux chasseurs se regardent d'un air bête. Toutou pose ses

deux pattes sur la jambe de Lian-
Chu et renifle le collier d'Hector
avec insistance. Soudain, il
l'attrape et s'enfuit à travers un
sentier. Gwizdo et Lian-Chu se
regardent, interdits.

— J'ai rêvé ou ce chien de mal-
heur vient de nous piquer le col-

lier d'Hector ! constate Gwizdo. Au voleur !

— Attends, Gwizdo, réplique Lian-Chu, il a peut-être flairé la trace d'Hector. Ça a du flair un chien, non ?

Le lendemain, les deux chasseurs suivent toujours la piste de Toutou, espérant malgré tout qu'elle les mène quelque part. Ils marchent maintenant, appuyés mollement l'un contre l'autre. Lian-Chu a les yeux fermés et avance machinalement, guidé par Gwizdo. Devant eux, Toutou est toujours là, en pleine forme, qui renifle partout. Gwizdo donne un coup de coude à Lian-Chu, puis un deuxième.

— Eh, Lian-Chu, c'est à mon tour de dormir, ça fait trois heures que je conduis.

Lian-Chu se réveille difficilement. Gwizdo ouvre de grands yeux et lui redonne un coup de coude.

— Regarde ! On dirait qu'il a trouvé quelque chose.

Toutou a la truffe plongée dans un terrier. Il gratte toujours plus profond, puis ressort la tête en tenant un gros os. Lian-Chu l'attrape et l'observe attentivement.

— Ça, c'est un fémur d'erdatygus nervolubis. Vu l'aridité de la terre, il doit dater d'au moins quinze cycles lunaires.

Gwizdo pousse un soupir de soulagement.

— Ouf, j'ai bien cru que c'était Hec... Puis, il fixe Toutou d'un air menaçant : Ah, je ne sais pas ce qui me retient...

Lian-Chu se montre fataliste.

— Faut se faire une raison, Gwizdo, jamais on ne retrouvera Hector.

Mais soudain, une voix se fait entendre, de plus en plus proche :

— Au secours ! Sauve qui peut !

Les deux chasseurs se dévisagent, interloqués. Au bout d'un moment, un paysan arrive vers eux en courant. La panique se lit sur son visage. Gwizdo sent qu'il y a de l'argent à se faire.

— Oh là, calmez-vous, mon vieux, où allez-vous comme ça ?

— Me calmer, répond le paysan affolé, mais comment voulez-vous que je me calme alors qu'un dragon s'attaque à notre village ?

Le regard de Gwizdo s'illumine. Un dragon, quelqu'un a prononcé le mot magique ! Il prend le paysan par l'épaule, le sourire jusqu'aux oreilles.

— Oh, mais dites-moi, c'est terrible ça, mon ami. Vous savez, si je souris, c'est parce que c'est notre… enfin… votre jour de chance !

7

LES RETROUVAILLES

Gwizdo et Lian-Chu sont cachés derrière un fourré situé le long d'une plantation, ils guettent les alentours. Lian-Chu s'est fabriqué une lance en bois, qui ne semble pas très efficace contre l'ennemi. Des bruits de mâchoires se font entendre tout près.

— C'est l'occasion de nous refaire et de ne pas rentrer les poches vides à l'auberge, alors… pas de quartier !

Bondissant sur ses jambes, Lian-Chu s'élance de l'autre côté de la haie, prêt à se battre. Tenant sa lance à la main, il se retrouve face à face avec… le gros cousin dragon, en train d'avaler avec appétit tout ce qui lui tombe sous les pattes. Lian-Chu est drôlement surpris.

— Hector ???!!!

Entendant le nom du petit dragon, Gwizdo surgit à son tour et découvre l'animal. Le monstre les regarde d'un air mécontent.

— Saperlotte de saperlouille !

s'exclame Gwizdo, ahuri. Ben dis
donc, le grand air et la vie sauvage, ça lui réussit bien !

Lian-Chu est vraiment impres-
sionné.

— J'en reviens pas. La dernière
fois qu'on l'a vu, il était pas plus
haut que ça... C'est fou, j'ai
l'impression que c'était hier...

— Ben, peut-être parce que

c'était hier… réplique Gwizdo. Dis donc, il a pas l'air très heureux de nous revoir, il veut quand même pas qu'on s'excuse, non ?

Le gros dragon, que toute cette discussion laisse de marbre, prend un air méchant et bondit, gueule ouverte, sur les deux chasseurs, qui l'évitent de justesse en plongeant au sol.

— Mais qu'est-ce qu'il a ? demande Gwizdo. Il nous reconnaît pas ?! Pas croyable, après tout ce qu'on a fait pour lui…

Mais Lian-Chu ne l'écoute pas, il regarde fixement dans une autre direction.

— Gwizdo, est-ce que tu as vu ça ? C'est Hector…

— Oui, répond Gwizdo agacé,
je sais bien que c'est Hector.

— Non, pas là, corrige Lian-
Chu en pointant son doigt vers
l'autre côté. Là-bas.

Gwizdo jette un coup d'œil
dans la direction indiquée par
Lian-Chu et découvre Hector – le
vrai, celui-là ! –, en train d'effrayer
un paysan avec des grimaces.

Gwizdo et Lian-Chu se regardent, consternés. Soudain, le gros dragon revient à la charge, l'air très énervé. Lian-Chu attrape Gwizdo et saute par-dessus le fourré, juste à temps pour éviter un nouveau coup de mâchoire du monstre.

Alors qu'Hector s'amuse à poursuivre le paysan, il se cogne contre les deux chasseurs. Il sursaute en les voyant, puis plonge sans attendre à côté d'eux.

— Tchu !... Zdo !...

— Chut ! murmure Gwizdo. Y a un dragon à côté en train de prendre son petit déjeuner. Même qu'il te ressemble, mais en plus grand, et en plus dangereux aussi.

— Agraniet... proteste Hector. Agrabon... Bonpote !

— Comment ça, c'est ton coéquipier ? s'étonne Gwizdo. Me dis pas que t'as participé à tout ce carnage !

En effet, la plantation est dévastée, les récoltes sont fichues et le village voisin est en ruine. Des

trous énormes de la taille des mâchoires du monstre se trouvent un peu partout dans le sol. Mais Hector n'a pas l'air embarrassé du tout, au contraire il se redresse et bombe le torse.

— Dans ce cas, annonce Gwizdo, désolé mon vieil Hector, mais on nous a engagés pour te tuer. Toi et l'autre, là… Mais si ça peut te rassurer, sache que ta mort ne sera pas inutile, elle va nous permettre de gagner un bon paquet de fric.

Hector ne fait plus le malin. Il a du mal à respirer normalement. Lian-Chu rompt le silence.

— Dis, Gwizdo, on doit vraiment combattre Hector ?

— Ben oui, mon gars, confirme Gwizdo. C'est notre boulot. Tu vois bien qu'Hector est dans l'autre camp maintenant.

Le visage de Lian-Chu est défait. Hector regarde les deux chasseurs avec un air triste. Puis Lian-Chu saisit sa lance et fait face au petit dragon.

— Il a raison, Hector, dit-il la gorge nouée. Ton nouveau choix de vie fait de nous des ennemis. C'est ça la loi de la nature...

8

BRAVE TOUTOU

Lian-Chu et Hector sont partis dans un ballet étrange où chacun fait un pas vers l'autre pour le faire reculer, et vice versa. Ça s'éternise, aucun des deux opposants n'ose attaquer l'autre. Gwizdo commence à trouver le temps long, il voudrait bien que ça se termine.

— Bon, Lian-Chu, je te rappelle qu'on a fait chou blanc hier.

Hector, qui vient de repérer Toutou aux côtés de Gwizdo, lui demande horrifié :

— Cékoistruc ?

Gwizdo se tourne, surpris, et découvre Toutou, une pomme de pin dans la gueule, qui vient se frotter contre lui.

— Tiens, justement, répond Gwizdo, voilà ton remplaçant.

Hector pousse un grand cri et tombe dans les pommes. Lian-Chu se précipite vers lui.

— Qu'est-ce qui lui arrive ? demande-t-il, inquiet.

— Oh, il a sûrement pas supporté le coup du remplaçant, commente Gwizdo.

Après quelques instants, Hector recouvre vaguement ses esprits. Les chasseurs ont oublié le gros dragon qui, par surprise, saute sur eux et les plaque au sol. Seules leurs têtes dépassent de la masse du monstre. Ils ne peuvent plus bouger et sont à la merci du dragon, qui grogne quelque chose à l'attention d'Hector. Ayant à peine repris ses esprits, le petit dragon regarde les deux chasseurs les yeux dans le vague. Gwizdo est paniqué.

— Ne l'écoute pas, Hector ! T'as pas besoin de nous bouffer pour montrer ce que tu vaux comme dragon.

— Hector ! renchérit Lian-Chu. Écoute ton cœur !

Le petit dragon semble hésiter. Puis, il regarde la pomme de pin par terre et lui donne un coup de pied. Elle s'en va rouler sous le museau du monstre. Aussitôt,

Toutou sort des buissons où il s'était réfugié et accourt pour récupérer son joujou. En apercevant le petit chien, le gros dragon panique. Il pousse un cri terrifiant, relâche son emprise sur les chasseurs et prend la fuite en hurlant… Toutou se met à courir derrière lui, amusé, croyant avoir

trouvé un nouveau compagnon de jeu. Complètement paniqué, le gros dragon s'en va finir sa course au bord d'un précipice, puis se jette dans le vide !

Lian-Chu n'en croit pas ses yeux : c'est Toutou qui leur a sauvé la vie ! Puis il tapote la tête d'Hector.

— Je ne savais pas que ta race avait peur des chiens…

Gwizdo nettoie ses habits.

— Eh bien, commente-t-il, quand je pense qu'on a toujours fait croire à tout le monde que t'étais un chien !

À cet instant, le paysan débarque à l'improviste, accompagné par quelques-uns de ses semblables. Il pointe un doigt accusateur vers Hector.

— Il est là, le petit monstre ! Je le reconnais, c'est lui qui a bouffé nos plantations !

Gwizdo réagit au quart de tour et agrippe Hector par le cou.

— Justement, on vient de mettre la main dessus. Préparez la

monnaie car vous avez devant vous un dragon qui vit ses dernières secondes.

Joignant le geste à la parole, Gwizdo fait un clin d'œil à Hector et lui donne deux baffes. Comprenant le plan de Gwizdo, le petit dragon s'évanouit sous le choc. Les paysans sont très impressionnés par la force de Gwizdo. Wahou ! Ce dernier fait le modeste.

— Oh, ce n'est rien, vous savez… C'est notre métier…

Les paysans ont apporté avec eux un sac de pépites d'or qui se déversent aux pieds de Gwizdo. Ce dernier hallucine à la vue de tant d'argent. Ensuite, le chef du village se saisit du corps d'Hector, qui continue à faire semblant d'être inanimé.

— Pour fêter votre triomphe, annonce-t-il, nous allons préparer un grand festin et cuisiner le gibier.

Lian-Chu et Gwizdo sont pris de court et ne savent pas comment

réagir. Mine de rien, Hector n'en mène pas large. C'est alors qu'une petite fille arrive avec Toutou dans ses bras.

— Papa, papa, dit-elle en s'adressant au chef, regarde comme il est chou, je l'ai trouvé dans les buissons.

Gwizdo s'interpose.

— Ah, mais ce chien n'est pas à vous, c'est le nôtre !

La fillette supplie son père.

— Papa, s'il te plaît !

— Bon, dit le paysan qui se laisse attendrir, combien pour le chien ?

— Toutou ? réplique Gwizdo, plus hypocrite que jamais. Vous le vendre ? Mais vous n'y pensez pas !

Le paysan sort de sa poche une poignée de nouvelles pépites d'or. Gwizdo est bien sûr ravi de l'aubaine et s'apprête à répondre, quand Lian-Chu intervient :

— Attendez, j'ai un marché à vous proposer…

Les deux chasseurs traversent un pont pour rentrer chez eux, sous un beau soleil couchant. Insensible à la beauté du paysage, Gwizdo râle :

— Tu sais, Lian-Chu, je ne suis vraiment pas sûr qu'on ait gagné au change.

Derrière eux, à la traîne, Hector avance péniblement, croulant sous l'énorme sac qui contient tout le matériel. Il peste dans son langage habituel :

— Pacorek ! Moi toulboulo !

Gwizdo se retourne, indigné.

— Non mais, t'entends ça ? On lui sauve la vie et Monsieur se permet encore de râler. Je te jure, Lian-Chu, je me demande si on a bien fait de le troquer contre Toutou…

Lian-Chu ne répond pas mais il le fusille du regard. Gwizdo a saisi le message.

— Fais pas cette tête, Lian-Chu, j'ai pas l'air comme ça, mais moi aussi je suis content qu'il soit revenu, Hector. Vraiment…

FIN

Retrouve très bientôt en Bibliothèque Verte tes Chasseurs de Dragons préférés !
www.bibliothequeverte.com

LES AS-TU TOUS LUS ?

Retrouve tous les incroyables dragons chassés par
Lian-Chu et Gwizdo dans les histoires précédentes…

Zoria la terreur
des dragons

Zaza, aventurière
en herbe

Le trésor de
la mine perdue

Le visiteur
imprévu

Le dragon par
la queue

Dragon des
hautes neiges

Mauvais œil

Le retour de Zoria

Sur les traces de
Lian-Chu

Dragon-surprise

TABLE

Imprimé en France par Jean-Lamour - Groupe Qualibris
Dépôt légal : janvier 2009
20.07.1734.1/01 – ISBN 978-2-01-201734-4
Loi n°49-956 du 16 juillet 1949
sur les publications destinées à la jeunesse